Cari Meister

Illustrations de Terry Sirrell

Texte français de Claudine Azoulay

À John, qui aime par-dessus tout les très grosses roches
— C.M.

À ma fille de 3 ans et demi , Flynn, qui m'a offert une roche alors que j'illustrais cet album, en me disant : « Tiens, papa, c'est pour toi. »
— T.S.

Catalogage avant publication de Bibliothèque et Archives Canada

Meister, Cari
Moi, j'aime les roches / Cari Meister; illustrations de Terry Sirrell; texte français de Claudine Azoulay.

(Apprentis lecteurs)
Traduction de : I Love Rocks.
Pour enfants de 3 à 6 ans.
ISBN 0-439-94794-4

I. Sirrell, Terry II. Azoulay, Claudine
III. Titre. IV. Collection.

PZ23.M44Moi 2005 j813'.54 C2005-904919-7

Édition publiée par les Éditions Scholastic, 175 Hillmount Road, Markham (Ontario) L6C 1Z7.

5 4 3 2 1 Imprimé au Canada 05 06 07 08

Des roches
de toutes sortes!

Moi, j'aime les roches.

Certaines sont lourdes,
d'autres sont légères.

Certaines sont noires,

d’autres sont blanches.

Certaines sont rondes,
d'autres sont carrées.
Certaines ont des taches,
d'autres ont
des poils!

Certaines flottent sur l'eau,

d'autres
coulent
au fond.

Certaines sont gluantes,
d'autres ne sentent pas bon.

Des roches
de toutes sortes!
Moi, j'aime les roches.

On en fait des châteaux.

Elles forment aussi des grottes.

Elles servent à bâtir des églises
et à créer des pierres tombales.

Des roches pour les barrages

et pour les piscines.

Des roches pour faire du verre

et aussi des bijoux.

Grosses comme des montagnes

ou petites comme des grains,

elles recouvrent la terre
ou tiennent dans ma main.

Des roches
de toutes sortes!
Moi, j'aime les roches.

LISTE DE MOTS

à	de	la	poils
aime	des	légères	pour
au	du	les	recouvrent
aussi	eau	lourdes	roches
autres	églises	ma	rondes
barrages	elles	main	sentent
bâtir	en	moi	servent
bijoux	et	montagnes	sont
blanches	faire	ne	sortes
bon	fait	noires	sur
carrées	flottent	on	taches
certaines	fond	ont	terre
châteaux	forment	ou	tiennent
comme	gluantes	pas	tombales
coulent	grains	petites	toutes
créer	grosses	pierres	un
dans	grottes	piscines	verre